Introduction

Le repas, un véritable miroir social :

Un repas s'orchestrait comme une pièce de théâtre. Tranchoirs, drageoirs, coupes et vaisselles d'or, d'étain ou de bois posées sur des nappes n'attendaient que l'ordre du prince ou seigneur pour convier les hôtes à « se mettre à table ». L'écuyer tranchait et découpait les viandes, le panetier servait le pain et l'échanson servait le vin.

La quantité et les mets nobles variaient selon votre position sociale. De manière générale, le banquet ou repas se servait en trois services. C'est-à-dire que les convives, lors du 1er service, mangeaient l'ensemble des plats proposés en se servant dans le plat de service (Service dit « à la française ») ou simplement à même la table, devant eux. Moment pour les fines lames de montrer leur talent à la découpe !

Puis la table était débarrassée et pendant que troubadours, jongleurs et ménestrels comblaient et amusaient les hôtes. Ce temps « mort » étaient appelé : l'entremet.

Alors le 2ème service pouvait commencer et ainsi de suite jusqu'au dessert... Voila pourquoi il y avait autant de plats sur les menus d'époque.

La cuisine médiévale est une véritable ode à l'alimentation, à la symbolique des épices et au cérémonial de la table.

Bonne route dégustatrice sur les traces des premiers gourmets de notre histoire culinaire...

Ci-dessus : Plat à l'oiseau, Espagne, Paterna (Valence), vers 1350. Musée National de la Céramique, Sèvres.

Dinan (Côtes d'Armor) : la cuisine du château.

La cuisine était munie de placards qui fermaient et abritaient les victuailles précieuses.

Le système d'adduction d'eau était particulièrement soigné : on disposait d'un puits d'où l'on pouvait tirer l'eau claire, et une conduite réservée dans la maçonnerie apportait l'eau de la douve dans un évier. Les eaux usées s'écoulaient ensuite dans une rigole qui les dirigeait vers le bas des canalisations des latrines.

(Photo Renault)

Sauce cameline pour les viandes et gibiers grillés

Temps de préparation : 20 min environ.
Cuisson : 10 min - Difficulté : moyen.

50 g de raisins secs
50 g d'épine vinette
80 g d'amandes effilées ou en poudre
80 g de mie de pain fraîche
1 cuillère à soupe bombée de miel ou de sucre
1 cuillère à café de gingembre en poudre
3 cuillères à café de cannelle en poudre
2 cuillère à café de cardamome en poudre
1/4 l de vin rouge
1/3 de noix de muscade râpée

La veille : faire tremper les raisins secs dans du vin rouge.

Piler en premier les amandes, les épices, le sucre puis mixer le tout avec les raisins secs et la mie de pain.

Ajouter de l'eau progressivement pour obtenir un mélange fluide.

Faites bouillir à feux doux durant 10mn et ajouter les épines vinette entières et le 1/4 de litre de vin rouge, laisser épaissir et maintenir au chaud.

En fin de cuisson vous pouvez napper viandes et volaille sautées ou grillées. Vous pouvez aussi servir la sauce dans un saucier.

Sauce au lait d'amande

Temps de préparation : 1 h.
Cuisson : 5 min - Difficulté : facile.

120 à 200 g d'amandes en poudre
1 litre d'eau ou de bouillon

Prendre des amandes en poudre (mondées), ajouter de l'eau ou du bouillon, bien mélanger, laisser reposer 1 heure. Passer à l'étamine en pressant bien : vous obtenez un liquide blanc comme le lait.

« Parvenu en France au Ve siècle, l'amandier ne s'y propagea vraiment qu'au Haut Moyen Âge. Charlemagne ordonna vers 812 de le cultiver dans ses fermes impériales et il prospéra ensuite fort bien dans les régions méridionales. On le trouva dès lors surtout autour de la Méditerranée, principalement dans les contrées où réussit l'olivier. » Jacques Dubourg, *Histoire des fruits et légumes*, éditions Jean-Paul Gisserot.

Olivier Straehli

Les recettes du Moyen Âge

Sauf mention contraire, les photographies sont de l'auteur.
Pages 1 et 9 : photographie Ville de Bayeux, Calvados.

Éditions Jean-Paul Gisserot
www.editions-gisserot.eu

Introduction

La cuisine médiévale n'est pas une cuisine de faux semblant comme beaucoup de personnes peuvent le penser. A cette époque, l'alimentation entre les nobles et les paysans, la ville et la campagne voire entre les castes religieuses étaient différentes.

L'une était basée sur le privilège des seigneurs et des nobles. En effet, leur rang permettait d'amener les épices à la spiritualité mais aussi de se soigner par la nourriture. Alors que pour les autres catégories sociales, les épices permettaient de modifier le goût, les saveurs et de mettre de la couleur dans les plats afin de masquer les produits de mauvaise qualité ou avariés que la population pouvait avoir. C'est vraiment là que la différence est fondamentale.

Les épices les plus courantes étaient : le poivre, le safran, le clou de girofle, les amandes, l'oignon ou le sucre.

Mais c'est l'élite qui en fait une consommation importante, pour des raisons diététiques certes puisque selon les ouvrages médicaux les épices facilitent la digestion. Mais aussi et surtout pour des raisons de distinction sociale puisque, venant d'Orient, elles sont rares et chères. C'est pourquoi je vais m'attacher uniquement à vous initier à la cuisine des épices de cette époque car la cuisine médiévale est riche de talents, de goûts et de fraîcheurs des produits. On tuait le matin pour le soir ! Le jeûne et le carême respectaient la saisonnalité des produits et permettaient aux médecins d'être dans les faveurs du calendrier ecclésiastique.

L'évolution culinaire, se fait lors du moyen-âge - tournant de la cuisine française - par des hommes comme Maître Chiquart, Maestro Martino, Robert de Nola, Bartolomeo Scappi, Lancelot de Casteau, ou guillaume Tirel dit Taillevent. Ce dernier décide de codifier la cuisine et ne plus se baser uniquement sur les recettes transmises jusque là de maître ouvrier à apprenti. Son ouvrage, *Le Vivandier* qu'il écrivit est un recueil qui rassemble et identifie les recettes. Ce travail colossal permet aujourd'hui encore d'avoir une photographie de cette époque ou sauces et épices étaient le reflex de la cuisine des seigneurs. D'ailleurs, « habiller, barder, appareil » sont encore des termes techniques de ce temps là : … Cette époque est le berceau du bien-manger et permet par les banquets d'associer la fête au plaisir de vivre… ne serait-il pas tout simplement la naissance de la gastronomie culinaire française ?

Les Très Riches Heures du duc de Berry,
le Louvre de Charles V - Mois d'Octobre.

Les épices les plus utilisées étaient la cannelle et la fleur de cannelle, la cardamome, le clou de girofle, la cubèbe, le galanga (garingal), le gingembre, la maniguette (graine de paradis), le macis (la coque de la muscade), la noix de muscade poivre, le poivre long, le safran, le sucre, le sumac, le quatre épices rares. Mais aussi les huiles d'olives, d'amandes et de noix. Et que dire des figues ?

Gruau de blé

Temps de préparation : 10 min.
Cuisson : 10 min - Difficulté : facile.

250 g de grains de blé
3 œufs
Beurre
Safran

Faire cuire le blé dans de l'eau bouillante salée
Une fois cuit, égoutter puis ajouter le beurre et le safran.
Ajouter les jaunes d'œufs et bien remuer de façon à ne pas cuire les jaunes.
Selon l'ouvrage *Le viandier de Taillevent* en vieux français dans le texte : « Prenez fourment et l'appareillez, et lavez très bien ; puis le mettez cuire en eau, et, quant il sera cuit, si le purez, puis prenez lait de vache boully une onde, et mettez le froment dedans, et faictes boullir une onde, et tirez arrière du feu, et remuez souvent, et fillez dedans moyeulx d'oeufs grant foison ; et aucuns y mettent espices et saffren, et de l'eaue de la venoison ; et doit estre jaunette et bien liante. »

Faisan aux épices et estragon

Temps de préparation : 2 h. Cuisson : 1 h 30 - Difficulté : moyen.

1 faisan et son foie (éventuellement : poulet ou pintade)
250 g de lard fumé dégraissé
2 oignons
1 verre de vin blanc sec
1 tranche de pain grillé
Sel, poivre
Du verjus ou le jus d'un demi-citron
1/2 cuil. à café de gingembre en poudre
1/2 cuil. à café de cannelle en poudre
2 clous de girofle
Les graines de 4 gousses de cardamome
1 bouquet d'estragon

Couper le faisan en morceaux ; réserver le foie.
Dans une cocotte, faire revenir le lard coupé en dés. Retirer la graisse puis ajouter les oignons en lamelles, laisser dorer et ajouter les morceaux de faisan.
Faire dorer, puis mouiller avec le vin et un peu d'eau ; ajouter les clous de girofle broyés et les graines de cardamome ; saler et poivrer.
Faire cuire à feu doux pendant 1 h 30.

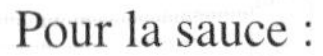

Pour la sauce :
Dans un bol, broyer ensemble le pain grillé et le foie de poulet, délayer avec le verjus puis ajouter les épices (gingembre et cannelle) ; si c'est trop épais, ajouter du verjus.
Verser dans la cocotte et mélanger avec le jus de cuisson avant de servir ; recouvrir d'estragon haché.
Ce plat se marie bien avec une purée de pois.

Escargoles grillés

Temps de préparation : 10 min.
Cuisson : 10 min - Difficulté : facile.

Prenez de gros escargots. Après les avoir fait jeûner et dégorger dans du vinaigre. Laissez-les égoutter et sécher. Préparez une bonne braise de sarments ou de charbon de bois, posez une grille.

Puis disposez les escargots avec l'ouverture de la coquille vers le haut. Quand ils sont cuits, sortez-les avec une épingle et plongez-les dans la sauce épicée.

Pour faire la sauce épicée :

Mélangez 30 g de poudre de gingembre, 100 g de cannelle en poudre, puis mixez avec 3 clous de girofle, 5 graines de cardamome, et ajoutez 50 g de miel et une cuillère à café de vinaigre de vin.

Gobelet à anneaux, Beauvaisis, XVe siècle.
Musée National de la Céramique, Sèvres.

L'hypocras est un vin dans lequel on a laissé macérer des épices et du miel. Connu dans toute l'Europe du Moyen-Âge, est ainsi nommé à partir du XIVe siècle, on attribue son nom au Grec Hypocrate (Ve siècle av. J.-C.)

Hypocras

Temps de préparation : 5 min.
Cuisson : 5 min - difficulté : moyen.

3 litres de vin rouge (Corbière, Côte du Rhône…)
120 g de cannelle
60 g de fleur de cannelle
30 g de gingembre
30 g de graine de paradis
3 pièces de noix de muscade
3 pièces de garingal
350 g miel toutes fleurs

Réduire en poudre, la cannelle, la fleur de cannelle, le gingembre, la graine de paradis, la noix de muscade et le garingal.

Mettre le vin à chauffer dans une casserole, verser tous les ingrédients puis attendre les premiers remous. Ecumer, filtrer à chaud dans un chinois avec une étamine (un linge type mousseline) puis ajouter le miel. Bien mélanger, laisser refroidir et re-filtrer. Le mettre dans une bouteille et à l'abris de la lumière. A déguster frais.

Vous pouvez remplacer la fleur de cannelle par de l'eau de rose et ajouter une écorce de citron.

Soupe de carottes au cumin torréfié

Temps de préparation : 15 min. Cuisson : 40 min - Difficulté : facile.

Pour 4 personnes :
1 kg de carottes jaunes, ou orange/noire
1 l de bouillon de volaille
10 cl de crème liquide
5 cl d'huile de noix
1cuillère à café de cumin
1 cuillère à café de gingembre râpé
Sel, poivre

Eplucher les carottes et les couper grossièrement en fuseau.

Faire chauffer le bouillon de volaille dans une grande casserole y ajouter les carottes.

Laisser cuire à feu moyen pendant 30 minutes.

Pendant ce temps, torréfier le cumin dans une poêle anti-adhésive. Mettre les graines sans matière grasse dans la poêle très chaude et laisser torréfier pendant 2-3 minutes tout en remuant afin qu'elles ne brûlent pas. Puis réserver.

Mettre dans le bouillon, le gingembre râpé et la moitié du cumin préalablement torréfié.

Laisser cuire encore 10 minutes à feu moyen.

Mixer la soupe très finement avec un mixeur plongeant tout en ajoutant l'huile de noix et la crème.

Rectifier l'assaisonnement à votre convenance en sel et poivre.

Servir la soupe chaude en dispersant quelques graines de cumin torréfié à la surface.

Suggestions :

Servir cette soupe avec une fine tranche de lard fumé grillée.

Si vous avez envie d'un peu plus de surprise en terme de saveur, ajouter à la soupe ce mélange d'épices : curcuma, curry et sumac.

Si vous ne trouvez pas de carottes remplacez-les par des panais.

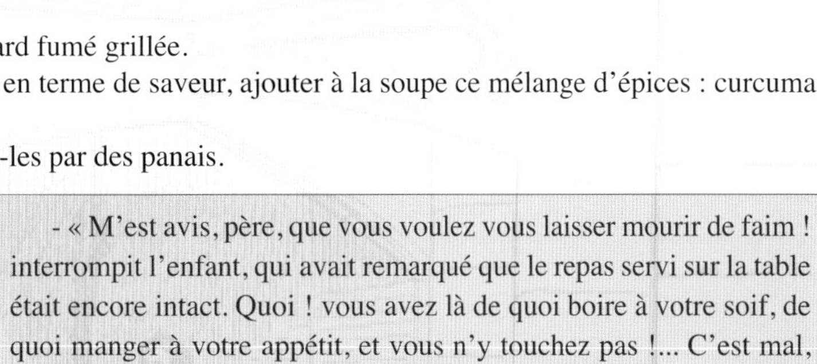

- « M'est avis, père, que vous voulez vous laisser mourir de faim ! interrompit l'enfant, qui avait remarqué que le repas servi sur la table était encore intact. Quoi ! vous avez là de quoi boire à votre soif, de quoi manger à votre appétit, et vous n'y touchez pas !... C'est mal, père, c'est bien mal d'être ainsi l'ennemi, le bourreau de soi-même...

- À quoi bon boire et manger ! repartit le bohémien avec amertume : qu'importe de mourir le ventre vide ou plein !

- Ventre vide n'a pas de cœur ! répliqua l'enfant, qui remplit de vin le gobelet et l'offrit à son père. Quand je suis à jeun, je n'ai guère de souffle pour sonner de la trompe. »

Paul Lacroix, « Le petit bohémien », *Contes du Moyen Âge*, éditions Jean-Paul Gisserot.

Soupe blanche aux épices

Temps de préparation : 15 min.
Cuisson : 55 min - Difficulté : facile.

Pour 4 personnes :
1/3 de chou-fleur
8 pommes de terre (type bintje)
1 oignon
1 gousse d'ail
1 cuillère à café d'épices à pain d'épices
1/2 cuillères à café de gingembre
50 cl de lait
1l d'eau
2 cuillères à soupe d'huile d'olive
Sel, poivre

Laver les pommes de terre, les fendre légèrement en deux. Les mettre à cuire dans leur peau au four pendant 45 minutes à 190°C (TH 7). Une fois cuites, les creuser pour récupérer la chair puis réserver l'enveloppe des pommes de terre.

Pendant ce temps, laver le chou-fleur et le découper en bouquet.

Emincer l'oignon. Faire chauffer l'huile d'olive dans une grande casserole puis ajouter l'oignon, le faire revenir à feu moyen et saupoudrer de gingembre. Mettre le chou fleur à cuire pendant 15 minutes à feu moyen.

Retirer la casserole du feu et mixer le chou-fleur et les pommes de terre. Rectifier l'assaisonnement et ajouter du lait du chaud aromatisé à l'épice de pain d'épices.

Servir la soupe dans les pommes de terre et parsemer légèrement et selon votre goût d'épices de pain d'épices. Déguster.

« Une cuisine de gens aisés renferme un puits intérieur aménagé contre un mur porteur ou placé au centre, une citerne qui reçoit l'eau des toits, un évier ou aguiera (Quercy) qui sert à la toilette, un tout-à-l'égout ou un puisard d'évacuation des eaux usées (Montpellier, Perpignan, Rennes) ». Jean-Pierre Leguay, *Vivre en ville au Moyen-Âge*, éditions Jean-Paul Gisserot.

Tourte Vigneronne aux macis

Cuisson 1 h - Repos 24 h - Difficulté : facile.

Pour 8 personnes :
400 g de porc
200 g de lard non fumée
1 kg de farine
400 g de beurre
3 œufs
14 g de sel
3 cuillères à soupe d'eau
2 petites échalotes grise
2 cuillères à soupe de macis
1 cuillère à café de gingembre
1 verre de vin blanc sec
1/4 de cuillère à café de poivre
1/4 de cuillère à café de clou de girofle
20 g de persil
10 g de marjolaine fraîche
10 g de sel.

Faire la pâte brisée. Mélanger dans une jatte 1 kg de farine, 400 g de beurre, 2 œufs, 15 g de sel puis ajouter l'eau et malaxer du bout des doigts jusqu'à obtenir une pâte friable et homogène.

Laisser reposer une journée au frais.

Couper en cube de 2 cm / 2 cm le porc et le lard.

Mélanger le tout puis mettre l'échalote fendue en 2, les épices et vin.

Laisser macérer une journée.

Le lendemain, sortir la viande et jeter le reste.

Etaler la pâte et faite 2 disques de la même dimension. Foncer le moule. Ajouter la farce. Tasser un peu et fermer le pâté avec l'autre pâte. Coller les bords avec le jaune d'œuf, badigeonner la tarte et faire une cheminée sur le dessus.

Cuire environ 1 h à 40 mn à four chaud Th 7 (200°C°), laisser refroidir et démouler.

Vous pouvez l'accompagner d'une salade de roquette.

Tapisserie de Bayeux, peu après 1066. L'église de Bosham (Sussex) et le manoir où Harold offre un repas à ses compagnons de voyage.

Omelette aux herbes

Temps de préparation : 5 min.
Cuisson : 5 min - Difficulté : facile.

Pour 4 personnes :
8 œufs
4 feuilles de blette (le vert)
3 feuilles de marjolaine ou d'origan
1 feuille de bourrache
2 feuilles de menthe
2 feuilles de sauge
Une poignée de fenouil
Une grosse poignée de persil
1 cuillère à café de paprika doux
Sel

Laver les herbes les sécher puis les hacher selon votre goût.

Casser les œufs dans une jatte puis ajouter le paprika et le sel, puis battre.

Mettre une noisette de beurre fermier dans une poêle.

Laisser fondre puis déposer vos œufs battus, laisser cuire à feu moyen.

Déposer votre omelette sur un plat de service puis décorer avec une poignée d'herbes.

Déguster bien chaud.

Suggestion :

Vous pourriez ajouter au cours de la cuisson sur l'omelette, du fromage de chèvre frais comme le recommande *le Ménagier de Paris*.

« L'*aula* (ou *aula magna*), désignée dans les textes médivaux en langue française sous l'appellation de *salle* ou *grande salle*, mais aussi palais, est, avec la tour-maîtresse l'élément le plus représentatif de la puissance dans le château. Son approche est difficile, car rares sont les exemples conservés. Vaste espace public, elle est le théâtre des manifestations majeures du pouvoir : justice et apparat (cérémonies, réceptions, banquets, bals, fêtes) ; elle peut aussi devenir espace de couchage. Cette multifonctionnalité entraîne une modification de son aspect selon les moments. » Philippe Durand, *Le château-fort*, éditions Jean-Paul Gisserot.

Scène de banquet médiéval.

Asperges lardées au jus de safran

Temps de préparation : 5 min.
Cuisson : 8 min - Difficulté : facile.

Pour 4 personnes :
500 g d'asperges vertes
12 tranches de lard paysan
1/2 cuillère à café de sucre
8 filaments de pistil de safran

Eplucher puis cuire les asperges vertes dans l'eau salée 8 min.

Vérifier la cuisson en piquant avec un couteau pointu, qui ne doit rencontrer aucune résistance. Les sortir de l'eau.

Ne pas jeter l'eau de cuisson.

Faites griller les tranches de lard dans une poêle puis les déposer sur un papier absorbant.

Enlever tout le gras de la poêle puis déglacer avec 3 verres de cuisson des asperges. Ajouter le sucre et le safran, laisser réduire.

Pendant ce temps, faites des petits paquets d'asperges puis enrouler le tout d'une tranche de lard.

Mettre les asperges lardées sur le plat de service puis arroser du jus court au safran.

Servir aussitôt.

Puis viennent, aussi, au hasard de la vente ou en fonction des besoins, des marchands de moutarde et de verjus, de vin aigre pour préparer les sauces, des huiliers, des vinaigriers, des *sauciers*, des *fruitiers*, des *grainiers* qui vendent des semences, des tripières et leurs petits braseros portatifs pareils à ceux qu'on voit encore de nos jours dans les rues de Lisbonne pour griller les sardines, des volaillers, des marchands de « chaus pastez », de gibier, de chevreaux, des galettes, des gâteaux et autres *oublies* (pâtisseries)... Jean-Pierre Leguay, *Pauvres et marginaux au Moyen-Âge*, éditions Jean-Paul Gisserot.

Rôti de foie gras au verjus et gingembre

Préparation : 15 min.
Cuisson : 12 min - Difficulté : moyen.

Pour 4 personnes :
1 foie gras de canard cru de 600 à 800 g (1er choix)
1 cuillère à soupe de miel
25 cl de verjus
50 g de farine
1 cuillère à soupe de gingembre frais râpé
1 cuillère à café de sel
1 cuillère à café de poivre du moulin

Tout d'abord préchauffer le four à 180°C.

Dénerver le foie gras de canard en lui retirant sa veine centrale en forme de Y. Attention à ne pas le fendre.

Mélanger la farine, le sel et le poivre puis fariner légèrement le lobe de foie gras.

Chauffer une poêle sans matière grasse puis mettre le lobe de foie gras fariné à saisir.

Napper de sa propre graisse pendant 2 min, puis l'enfourner en mettant un couvercle. Le foie gras doit continuer de rôtir uniformément.

Faire revenir le gingembre dans une casserole et faites y fondre le miel avec le vin. Réduire jusqu' à ce que le liquide devienne sirupeux.

Au bout de 12 min, ouvrir le four et déglacer avec la réduction, napper le lobe de foie gras pendant 1 à 2 min afin qu'il caramélise, puis le sortir. Dresser sur un plat tiède.

Vous pouvez l'accompagner de figues fraîches.

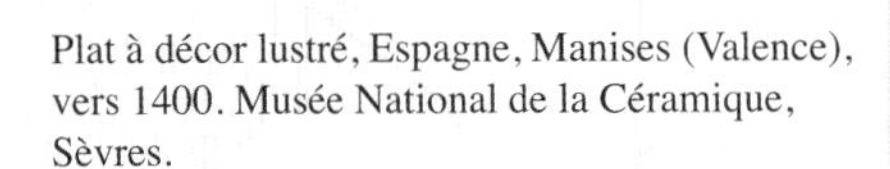

Plat à décor lustré, Espagne, Manises (Valence), vers 1400. Musée National de la Céramique, Sèvres.

Les assiettes sont rares au Moyen-Âge. Les soupes et autres mets liquides sont servis dans des écuelles, tandis que les viandes et mets secs sont généralement servis sur des planches de bois ou de métal sur lesquelles on a placé des tranches de pain pour absorber les sauces. Les assiettes, telles qu'on les connaît aujourd'hui, sont réservées aux nobles et ne se généralisent qu'à partir du XVIe siècle et resent un symbole de luxe jusqu'au milieu du XVIIIe siècle.

Soupe de pois cassés

Préparation : 10 min.
Cuisson : 25 min - Difficulté : facile.

Pour 4 personnes :
300 g de pois cassé
200 g de lard fumé
1 oignon rouge
3 cuillères à soupe d'huile de noix
1 cœur de salade type romaine
1 l de bouillon de légumes
1 yaourt de brebis
1 bouquet de cerfeuil
1 cuillère à café de moutarde
2 clous de girofle
1 poivre long

Couper grossièrement l'oignon. Dans une casserole, faire chauffer l'huile et faire revenir l'oignon jusqu'à ce qu'il devienne transparent et brillant. Ajouter les clous de girofle et la moutarde.

Laver la salade et la couper en gros morceaux. Les ajouter dans la casserole avec les pois. Bien remuer.

Couvrir avec le bouillon de légumes jusqu'à hauteur et saler. Couvrir et laisser cuire doucement pendant 10 min environ. Ajouter alors le lard et le poivre long. Laisser cuire.

Au bout de 15 min, sortir le morceau de lard cuit et le poivre puis réserver.

Laver le cerfeuil, le sécher. Mixer la soupe avec le cerfeuil et le yaourt de brebis ; dès qu'elle devient homogène et onctueuse, c'est prêt. Rectifier l'assaisonnement en sel, poivrer au moulin selon goût.

Parsemer de lanières de salade fraîche et d'un morceau de pain grillé.

Les pois : « En France, leur consommation a été très importante au Moyen Age mais beaucoup plus réduite au début de l'Ancien Régime. (...). Au début les pois se consommaient surtout secs, mais, dès le XIIIe siècle, ils ont été préparés à l'huile et en purée. » Jacques Dubourg, *Histoire des fruits et légumes*, éditions Jean-Paul Gisserot.

Civet de lapin aux épices (Recette inspirée du *Ménagier de Paris*, 1393).

Préparation : 15 min. Cuisson : 1 h 30 – Difficulté : facile.

Pour 4 personnes :
1 lapin (1,4 kg environ)
1 verre d'huile de tournesol
70 g de pain de campagne grillé
1/2 bouteille de vin rouge corsée type cahors
1/2 l de bouillon de bœuf ou de poulet
1 verre de verjus
250 g d'oignons
2 cuillères à café de gingembre
1/2 cuillère à café de cannelle
1 pincée de clou de girofle moulu
1/4 de cuillère à café de noix de muscade
1/4 de cuillère à café de poivre long
1/4 de cuillère à café de maniguette
2 g de sel

Préchauffer votre four à 200°C.

Faire griller le lapin entier pendant 35 minutes, afin d'éliminer le gras.

Pendant ce temps, délayer les épices dans le verjus puis laisser mariner.

Griller le pain, puis le faire tremper avec le bouillon et le vin. Mixer, ajouter la marinade de verjus. Réserver.

Sortir le lapin du four et le couper en morceaux.

Dans une casserole à fond épais, faire revenir les oignons avec les morceaux de lapin puis déglacer avec la marinade.

Laisser mijoter pendant 3/4 h. Rectifier l'assaisonnement puis servir.

Conseil :

Le civet doit être "brun, relevé par l'acidité du vers jus et modéré en sel et en épices". Selon les conseils du maître queux de l'époque.

« La préparation des repas - sur laquelle nous possédons de nombreux détails pour une maison bourgeoise à la fin du XIVe siècle grâce au *Ménagier de Paris* - constitue une tâche fondamentale de la paysanne à l'intérieur de sa maison, de même que le fait d'élever sa maison. » Jean Verdon, *La femme au Moyen-Âge*, éditions Jean-Paul Gisserot.

Timbale de moules au curry et carvi

Préparation : 10 min – Cuisson : 8 min – Difficulté : facile.

Pour 4 personnes :
2 litres de moules
2 échalotes hachées
2 cuillères à soupe de persil frais haché
2 verres de vin blanc sec
1 branche de céleri branche
1 cuillère soupe de curry
1 cuillère à café de Carvi
1 verre de lait tiède
100 g de beurre
Poivre

Laver les moules sous l'eau en les grattant et les brossant. Une fois débarrassées des algues et autres impuretés, lavez-les ensembles à grande eau en les remuant. Changez l'eau autant de fois que nécessaire. Puis réserver les moules dans un saladier sans eau.

Cuire les moules, dans une marmite, faites y d'abord revenir une noisette de beurre, les échalotes ciselées, le céleri, les moules, du poivre et le persil hachés. Eteindre avec le vin blanc.

Laisser cuire jusqu'à ce que toutes les moules s'ouvrent (3-4 minutes).

Dès qu'elles sont ouvertes, ôter la casserole du feu, réserver les moules. Filtrer le jus avec un chinois.

Préparer la sauce :

Dans une casserole, verser le jus des moules et laisser réduire de moitié. Ajouter le beurre froid en petits morceaux à la cuisson. Remuer sans cesse afin de lier la sauce.

Ajouter une pincée de persil frais, rectifier l'assaisonnement puis arroser les moules. Réserver au chaud.

Pendant ce temps, faire chauffer du lait avec du curry. Le verser dans un *blender* puis mixer afin de créer de la mousse.

Mettre les moules dans une timbale de service, arroser de cette mousse légère au curry et parsemer de carvi.

Déguster sans modération.

Astuce : Si vous laissez les moules fraîches immobiles dans de l'eau, elles s'ouvrent et risquent d'absorber les impuretés en suspens dans votre bassine.

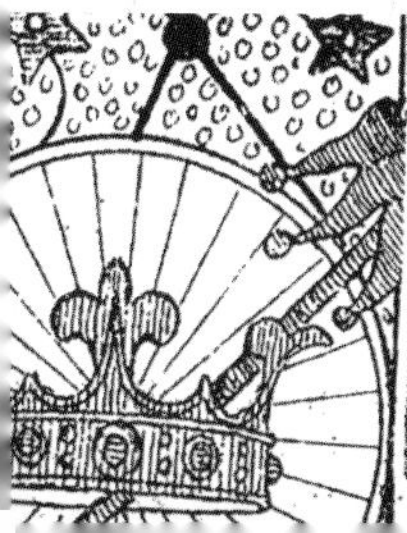

Boulettes de veau aux dattes

Préparation : 15 min
Cuisson : 10 min. - Difficulté : facile.

Pour 4 personnes :
Pour la mousseline de dattes :
16 dattes
2 dl de jus d'oranges fraîches
1 cardamome
1 fleur de badiane
1/2 bâton de cannelle
1 pincée de fleur de sel
20 g de zeste de citron

Pour les boulettes :
600 g de veau
2 tranches de pain
2 verres de lait
1 échalote
5 brins d'aneth
1 œuf
1 gousse d'ail
1 échalote hachée
3 cuillères à soupe de paprika

Mousseline de dattes :
Dénoyauter les dattes, les mixer avec jus d'orange, ajouter le mélange d'épices en poudre (cannelle, badiane et cardamome) et laisser a température ambiante.

Boulettes :
Faire tremper le pain dans du lait 10 min
Mixer 600 g de veau avec l'échalote, le pain, 5 brins d'aneth, 1 œuf et 3 cuillères à soupe de paprika.
Former les boulettes de viande, et les passer dans de la farine afin de les solidifier.
Chauffer de huile de tournesol et les faire dorer 10 min dans la poêle. Les réserver sur un papier absorbant.
Dresser sur une assiette de service puis ajouter la mousseline de datte.
Parsemer d'aneth ciselé, et servir avec une purée de petits pois extra-fins.

« Le jardin contigu à la ferme qui sert avant tout à nourrir la famille constitue plus spécialement le domaine de la femme. À la fin du Moyen Âge, des procès mettent aux prises des paysannes parce qu'elles ne peuvent nourrir convenablement leur porc et que celui-ci mange leurs haies et celles des jardins voisins. » Jean Verdon, *La Femme au Moyen Âge*, éditions Jean-Paul Gisserot.

Poussin farci

Préparation : 15 min.
Cuisson : 25 min - Difficulté : facile.

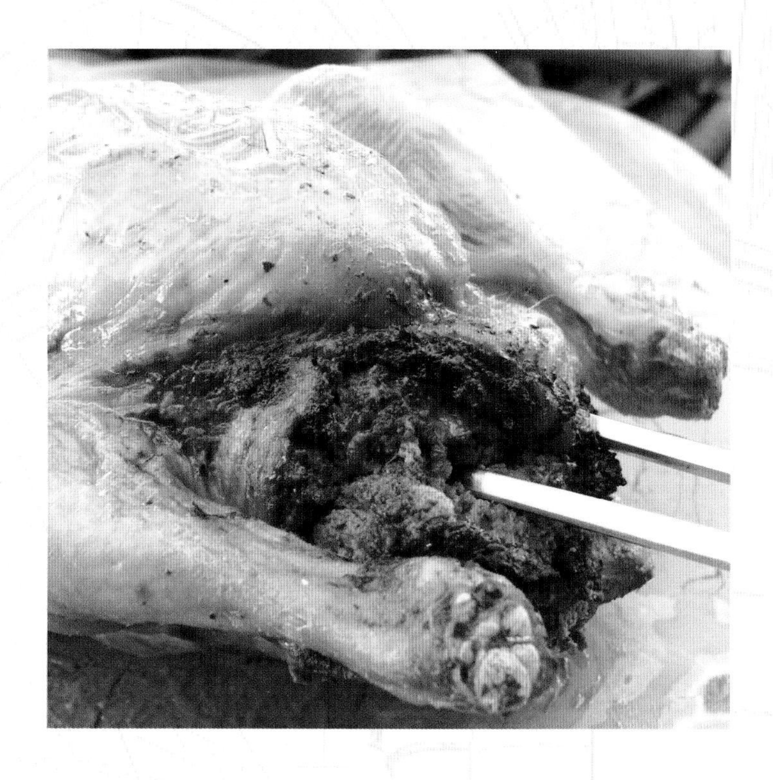

Pour 6 personnes :
6 poussins de 500 à 600 g
100 g de foie de volaille
200 g de hachis
3 cuillères à soupe de noix
1 gros oignon rouge haché
2 œufs
2 morceaux de pain grillé détrempés
1 verre de nuoc-mam
1 verre de vin clairet
1 gousse d'ail
1 cuillère à café de muscade
1 cuillère à café de sarriette
1 cuillère à café de curcuma
1 cuillère à café de gingembre
1 cuillère à café de galanga
5 feuilles de blettes
5 feuilles de persil
5 feuilles de coriandre
1 l de bouillon de bœuf

Mélanger tous les ingrédients de la farce et les dorer à sec dans une poêle.

Mettre le pain dans un saladier et verser le clairet et le nuoc-mam, laisser tremper 5 min.

Passer au hachoir la farce et le pain détrempé avec une poignée de persil. Mélanger avec les œufs, rectifier l'assaisonnement en sel et poivre.

Nettoyer les poussins au vinaigre et les remplir de farce.

Les coudre afin que la farce ne tombe pas pendant la cuisson.

Placer les poussins sur le tourne-broche ou dans un plat allant au four et les cuire pendant 20 à 25 minutes. Les arroser tout le long de la cuisson avec le bouillon de bœuf.

Les dresser sur plats de service chauds entourés de carottes et de panais braisés.

« La femme nettoyait les choux, lavait les légumes, soufflait sur le feu pour le ranimer et s'évertuait, insouciante des brûlures, à faire cuire les aliments. Elle retirait elle-même les aliments du feu, lavait les plats et les présentait. Puis, le repas achevé, elle trempait la vaisselle dans l'eau, nettoyait la cuisine en la débarrassant de toutes les ordures qui jonchaient le sol. » Denise Péricard-Méa, *Le Moyen-Âge*, éditions Jean-Paul Gisserot, d'après Fortunat, chroniqueur italien.

Tagliatelles de courgette à la tomate et cannelle

Préparation : 10 min.
Cuisson : 10 min - Difficulté : facile.

Pour 4 personnes :
3 courgettes
2 tomates émondées
1 cuillère à soupe d'huile d'olive extra vierge
1ère pression à froid
1 cuillère à café de cannelle fraîchement moulu
Sel, poivre noir du moulin

Faire bouillir une grande quantité d'eau salée.

Laver les légumes.

Couper toutes les courgettes en fines lanières à l'aide d'un couteau économe voire d'une mandoline.

Plonger en premier les tomates 20 secondes puis les replonger dans de l'eau froide afin d'enlever la peau et de les égrainer. Une fois cette opération faite, couper la pulpe en petits dés, réserver.

Laisser reprendre l'ébullition puis plongez les lanières de courgettes pendant 2 min.

Bien égoutter et les réserver sur un papier absorbant.

Mettre à chauffer dans une poêle l'huile d'olive puis faites sauter à feux vif les tagliatelles. Rectifier l'assaisonnement en sel et poivre.

Saupoudrer de la cannelle puis ajouter les tomates. Laisser reprendre un petit coup de chaud puis servir aussitôt que vous sentez l'odeur de la cannelle.

« Connue dès l'Antiquité et mentionnée sous Charlemagne, la courge semble avoir été surtout cultivée au Moyen Age. Les botanistes occidentaux ne la signalent toutefois en Europe qu'au XVIe siècle. Elle pourrait avoir été importée d'Amérique du Nord où les Amérindiens la connaissaient depuis déjà longtemps.
Jusqu'au XVIIIe siècle, le terme courge qui provient du latin « cucurbita » désignait les calebasses et ce n'est qu'au XIXe siècle qu'il s'est appliqué au légume qui porte aujourd'hui son nom. La courgette pourrait être une découverte des Italiens qui cueillaient la courge avant qu'elle ne soit complètement mûre. » Jacques Dubourg, *Histoire des fruits et légumes*, éditions Jean-Paul Gisserot.

Saumon au lait d'amandes

Préparation : 15 min
Cuisson : 12 min. Repos : 1 h.
Difficulté : facile.

Pour 4 personnes :
800 g de filet de saumon frais
1/2 citron jaune
250 g d'amandes émondées
2 cuillères à soupe d'huile
1 pincée de fleur de sel
1/2 l d'eau
Sel fin et poivre du moulin

Pour faire le lait d'amandes, mixer au broyeur les amandes en poudre puis mettre la poudre dans un saladier et les arroser d'eau. Laisser mariner 1 heure.

Mettre cet appareil dans un linge (une étamine) puis le presser bien fort. Un liquide blanc doit en sortir comme du lait. Le verser dans une casserole puis le laisser réduire durant 5 min.

Laver les filets de saumon, puis les masser avec le jus de citron.

Faire chauffer de l'huile puis mettre le saumon côté peau et laisser cuire 7 min à l'unilatérale, dès que le saumon est cuit, rectifier en sel et poivre puis mettre le poisson sur un plat de service, verser le lait d'amandes chaud et servir.

Vous pouvez accompagner le plat d'une purée de céleri-pomme de terre.

« Des règles d'hygiène sont imposées aux professionnels de l'alimentation. Elles visent les méthodes de travail, la qualité et la conservation des produits, les mélanges et les mixtures incongrus. Les boulangers de Rennes sont tenus depuis 1450 de se faire couper la barbe et les cheveux une fois toutes les trois semaines, de porter des chemises propres et d'éviter de pétrir la pâte si leurs mains sont "infectez d'ulcères". La propreté du local de la boucherie préoccupe les consuls de Millau qui interdisent qu'on abatte les animaux dans le local où s'effectuent les ventes. »
Jean-Pierre Leguay, *La pollution au Moyen-Âge*, éditions Jean-Paul Gisserot.

La maison d'Adam à Angers (Maine-et-Loire).
Photo Thérèse Leguay.

Morue grillée au cumin et crème de cresson

Préparation : 10 min.
Cuisson : 12 min - Difficulté : moyen.

Pour 4 personnes :
800 g de morue fraiche
1 botte de cresson frais
1/2 l de bouillon de volaille
25 cl de crème liquide
1 cuillère à soupe d'huile
1 cuillère à soupe de vinaigre de vin rouge
1 cuillère à soupe de cumin
Sel fin et poivre du moulin

Mettre le cumin dans un mortier (ou un mini mixeur) puis le réduire en poudre. Le faire griller dans une poêle anti adhésive pendant 1 min afin d'en faire sortir tous les arômes. Puis réserver.

Nettoyer à l'eau la botte de cresson. Mettre un bouillon de volaille à chauffer. Équeuter le cresson et le mettre dans un mixeur, mixer et ajouter au fur et à mesure le bouillon. Dès obtention d'un liquide homogène, passer le tout dans un chinois puis le détendre avec la crème liquide. Faire réduire la sauce dans une casserole pendant 10 min puis laisser mijoter sur feux doux.

Faire chauffer dans une casserole l'huile puis mettre les pavés de morue à cuire 4 min de chaque côté. Arroser de vinaigre puis ajouter le cumin en poudre le laisser réduire 2 min afin que les parfums se mélangent. Rectifier en sel et poivre.

Mettre le poisson sur un plat de service, puis verser la crème de cresson chaude et servir tout de suite.

Conseils :

Si vous ne trouvez pas de morue fraiche vous pouvez utiliser de la morue salé mais il faudra la désaler 24 h avant, en renouvelant l'eau toutes les heures. Attention à ne pas trop saler votre plat !

À partir du milieu du Moyen Âge, les notions d'hygiène et de bonnes manières apparaissent. On recommande notamment de ne plus caresser les chats ou les chiens qui se trouvent régulièrement, sous et sur les tables ! C'est également à cette époque qu'apparaît le lavage des mains avant les repas.

Raviolis d'écrevisses à la purée de persil tubéreux sauce au persil

Préparation : 60 min - Cuisson : 10 min - Repos : 30 min - Difficulté : facile.

Pour 4 personnes :

Pour la pâte :
500 g de farine
1 cuillère à soupe et demi d'huile d'olive
4 beaux œufs ou 5 petits
12 g de sel
Eau froide

Pour la farce :
200 g d'écrevisses cuites
4 cuillère à soupe d'épinards cuits
4 persil tubéreux crus
1 bouquet de persil
1 oignon
1 œuf
Sel, poivre du moulin

Pour confectionner la pâte :

Dans un saladier, mélanger la farine et le sel. Mettre la farine sur le plan de travail, puis creuser un puits dans le centre et y ajouter les œufs battus et un filet d'huile d'olive. Commencer à travailler avec les doigts en amalgamant petit à petit l'ensemble. Ajouter de l'eau au besoin.

Pétrir de 3 à 4 minutes jusqu'à ce que la pâte devienne souple et élastique. Rouler en boule et poser un linge humide puis réserver 30 min.

Abaisser la pâte au rouleau ou au laminoir afin d'obtenir une feuille fine. Fariner légèrement à chaque étape jusqu'à 1 mm d'épaisseur.

Pour la farce des raviolis :

Hacher finement les écrevisses et les épinards puis, en petits dès, le persil tubéreux. Leslier avec l'œuf entier. Saler et poivrer.

A l'aide d'une cuillère, déposer une petite noix de la farce au centre de la bande. Recouvrir d'une autre bande de pâte, appuyer avec une règle entre les tas afin que les bords se soudent. Couper à l'aide d'une roulette.

Laisser reposer au minimum 1 h, voir 24 h : cela permet à la pâte de croûter.

Cuire à l'eau bouillante salée 3 à 5 minutes puis les sortir délicatement à l'aide d'un grand écumoire.

Pendant ce temps, chauffez un verre d'eau dans une casserole.

Mettre dans un mixer le bouquet de persil puis verser l'eau chaude et un filet d'huile d'olive. Mixer, filtrer et rectifier l'assaisonnement en sel et poivre selon vôtre goût. Réserver au chaud.

Sortir les raviolis, les disposer sur l'assiette de service puis verser un cordon de sauce au persil, parsemer d'un peu de curcuma et déguster.

Astuce :

Evitez de mettre de l'huile d'olive dans l'eau de cuisson des raviolis car cela imperméabilise et fragilise la pâte.

Épaule d'agneau rôtie à la cameline

Temps de préparation : 20 min – Repos : 24 h – Cuisson : 2 h - Difficulté : moyen.

Pour 6 personnes :
1 épaule d'agneau
50 g de raisins secs
50 g d'épine vinette
80 g d'amandes effilées ou en poudre
80g de mie de pain fraîche
1 cuillère à soupe bombée de miel ou de sucre
1 cuillère à café de gingembre en poudre
3 cuillères à café de cannelle en poudre
2 cuillère à café de cardamome en poudre
1/4 l de vin rouge
1/3 de noix de muscade râpée

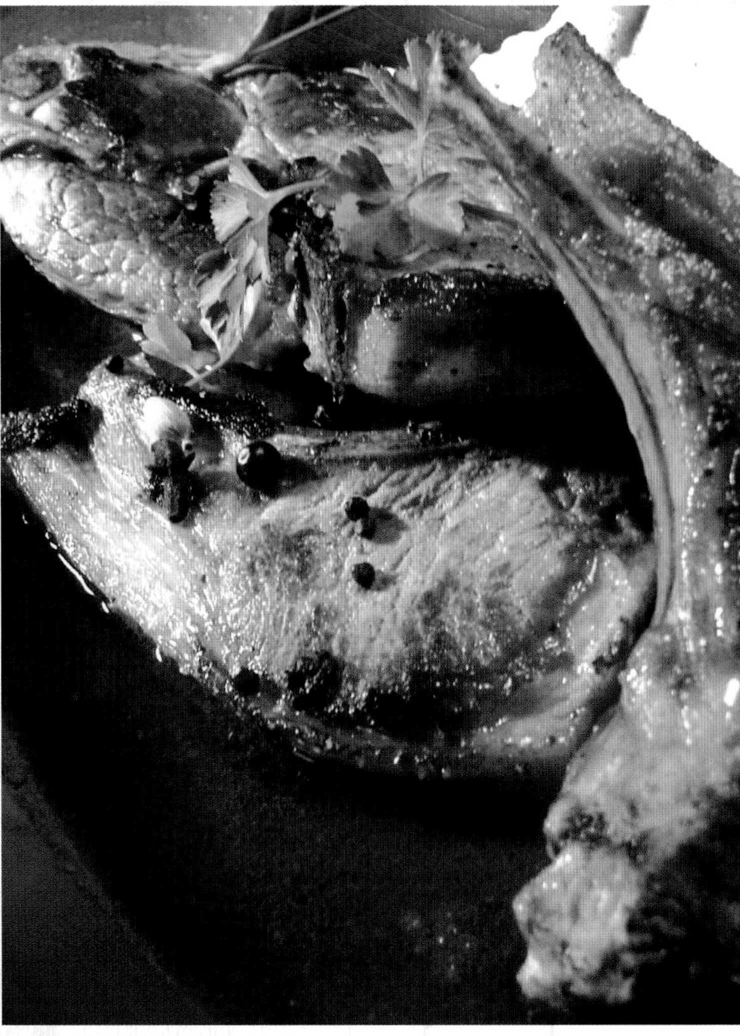

Sauce cameline
la veille :

Faire tremper les raisins secs dans du vin rouge.

Piler en premier les amandes, les épices (gingembre, cannelle, cardamome en poudre et noix de muscade râpée), ajouter le sucre puis mixer le tout avec les raisins secs et la mie de pain.

Ajouter de l'eau progressivement pour obtenir un mélange fluide.

Faire bouillir à feu doux durant 10 min et ajouter les épines vinette entières et le 1/4 de litre de vin rouge, laisser épaissir et maintenir au chaud. Puis réserver au frais.

Le jour même :

Faite griller l'épaule d'agneau puis la mettre au four 2 h à Th 6 (180°C)

10 min avant la fin de cuisson, réchauffer la sauce puis napper la viande grillée.

Servir l'excédent de sauce dans une saucière.

Dans la demeure seigneuriale, « la cuisine fa[isait] suite à la maison : elle avait deux niveaux. [En] bas, étaient mis les porcs à l'engraissement, les oi[es] destinées à la table, les chapons et autres volaill[es] tout prêts à être tués et mangés. En haut, vivaie[nt] les cuisiniers et les autres préposés à la cuisine ; [ils] y préparaient les plats les plus délicats destinés a[ux] seigneurs ainsi que la nourriture quotidienne d[es] familiers et des domestiques. » Arnould, Chr[o]niques de Guines et d'Ardres, (vers 1120) in *[...] Moyen-Âge*, Denise Péricard-Méa, éditions Jea[n-]Paul Gisserot.

Magret de canard sauce poivrade

Préparation : 15 minutes – Marinade : 2 h - Cuisson : 20 min - Difficulté : moyen.

Pour 6 personnes :
3 magrets de canard
3 cuillères à soupe de noix concassées
Sel et poivre noir du moulin

Pour la marinade :
1 carotte
1 oignon
2 brins de thym
2 feuilles de sauge
20 g de saindoux
1 dl de fond de veau
1 gousse d'ail
1 dl de vin rouge corsé
50 g de lard fumé
3 cuillères à soupe de farine
1 verre d'eau
1 cuillères à soupe de vinaigre balsamique
Sel et poivre

Couper la carotte et l'oignon en bâtonnets et faire revenir avec le lard dans une casserole.

Presser la gousse d'ail et mouiller avec le fond de veau. Ajouter le thym, la sauge et le vin rouge. Laisser cuire à frémissement 10 min puis laisser refroidir.

Ajouter le vinaigre balsamique. Rectifier en sel et poivre.

Entailler le côté peau des magrets de canard puis les faire mariner 2 h.

Sortir les magrets et les sécher.

Passer la marinade au tamis puis mixer avec le pain grillé et refiltrer, afin d'enlever les résidus du pain. Cette étape permet à la sauce d'épaissir par l'apport de l'amidon du pain.

Faire cuire les magrets côté peau. Enlever régulièrement l'excès de graisse. Saler, poivrer et retourner les magrets.

La peau doit devenir croustillante et la viande doit rester rosée.

Les sortir 3 min de la poêle et les mettre sous cloches. Cela permet de détendre la viande.

Pendant ce temps, mettre la sauce à cuire. Laisser réduire et épaissir la sauce.

Paner les magrets dans les noix concassées puis les faire saisir 2 min de chaque côté dans la poêle.

Dresser sur assiette, la sauce en fond puis les magrets.

Vous pouvez accompagner ce plat avec des poires rôties au safran.

Variante : Vous pouvez ajouter en fin de cuisson une cuillère de cacao dans la sauce, ce qui apportera un léger velouté et un coté suave à votre sauce… chut c'est un secret de chef !

Travers de porc caramélisés à l'hypocras

Préparation : 15 min. - Marinade : 3 h 10.
Cuisson : 45 min - Difficulté : facile.

Pour 6 personnes :
1.5 kg de plate de côtes de porc
2 cuillères à soupe de miel
3 cuillères à soupe de vinaigre de vin
1 cuillère à soupe de paprika fort
3 baies de genièvre
3 clous de girofle
5 graines de paradis
5 grains de poivre noir
5 grains de cumin
3 cuillères à soupe d'huile d'olive

Faire l'hypocras (cf page 6).

Torréfier dans une poêle à sec toutes les épices puis les concasser au pilon et réserver.

Faire fondre dans un verre d'eau, le miel puis le vinaigre, et ajouter les épices. Laisser infuser 10 min puis filtrer la sauce.

Badigeonner les plats de côte et les laisser mariner 3 h.

Apres le temps de repos, préchauffer votre four TH 7 à 210°C.

Enfourner puis baisser le TH 6 à 190°C. Laisser cuire 40-45 min. Ne pas oublier de les badigeonner durant toute la cuisson avec l'hypocras afin que la viande ne dessèche pas. En fin de cuisson, pour accentuer la caramélisation, vous pouvez augmenter pendant 5 min le th. Si, au contraire, vous trouvez que la viande colore trop vite déposer dessus un papier aluminium.

S'il vous reste de la sauce de marinade faites-la réduire puis utilisez-là comme un condiment en ajoutant un peu de piment.

Les fouilles du lac de Paladru permirent de découvrir la vie d'une communauté au début du XIe siècle. « Autour du village, les hommes cultivaient des céréales, quelques légumes (lentilles, fèves, pois), des arbres fruitiers (cerises, pommes, prunes, poires, pêches) ainsi que de la vigne et des plantes textiles (lin et chanvres). Ils ont pratiqué l'élevage de bœufs, porcs, moutons, chèvres et animaux de basse-cour pour la consommation et d'animaux domestiques, chevaux, chiens et chats. » Denise Péricard-Méa, *Le Moyen-Âge*, éditions Jean-Paul Gisserot.

Porc sculpté sur une miséricorde des stalles de l'église Saint-Gervais-Saint-Protais (Paris). Photo Renault.

Gaufres au sirop de sauge

Préparation : 15 min - Marinade : 30 min.
Cuisson : 5/7 min - Difficulté : facile.

Pour 20 gaufres :

520 g de farine tamisée
150 g de sucre
4 œufs
110 g de beurre
50 ml de lait
1/2 sachet de levure chimique
2 cuilères à soupe d'huile
Sucre glace
1 verre d'eau
3 feuilles de sauge
4 cuillères à soupe de miel toutes fleurs

Faire chauffer de l'eau et ajoutez les 3 feuilles de sauges. Laisser infuser 10 min.

Ajouter 4 cuillères à soupe de miel toutes fleurs puis faire fondre jusqu'a obtention d'un liquide très sirupeux.

Mélanger les œufs entiers avec le sucre, le beurre fondu et ajouter au fur et a mesure un peu de farine et de lait jusqu'à l'obtention d'une pâte assez épaisse. Laisser reposer au moins 30 min.

Faire chauffer le gaufrier et badigeonner avec un pinceau d'huile.

Faire dorer pendant 5 à 7 minutes.

Verser le sirop de sauge sur les gaufres chaudes et déguster.

« Vivre ensemble, c'est boire en bonne compagnie devant la porte du cellier ou sur le perron, se recevoir et veiller devant la cheminée en hiver et devant le pas de la porte en été, se retrouver aux fêtes paroissiales, à un banquet, à un anniversaire, aux fiançailles, à un mariage et au repas de noces, à des funérailles où chacun témoigne à la famille éprouvée son soutien moral en participant à la levée du corps et au convoi qui se rend au cimetière. Le choix des emplacements dans l'aître obéit à des impératifs sociaux, familiaux mais aussi aux relations de voisinage. » Jean-Pierre Leguay, *Vivre en ville au Moyen-Âge*, éditions Jean-Paul Gisserot.

Tarte au fromage et fleurs de capucine

Cuisson : 40 min – Repos : 24 h - Difficulté : moyen.

Pour 8 personnes :
500 g de farine
1 œuf
180 g de beurre
10 g de sel et d'eau
300 g de fromage blanc
100 g de crème épaisse
25 ml de lait
3 jaunes d'œufs
3 blancs en neige
15 g de fleurs de capucines
120 g de sucre
1/2 gousse de vanille
1 zeste de citron

Faire la pâte brisée. Mélanger dans une jatte 500 g de farine, 1 œuf, 180 g de beurre, 10 g sel et eau puis ajouter l'eau.

Malaxer du bout des doigts jusqu'à obtenir une pâte friable et homogène. Et laisser reposer une journée au frais.

Mélanger les jaunes d'œuf avec le sucre et les graines de la vanille jusqu'à l'obtention d'une couleur blanche et un aspect fluide. Laisser reposer.

Battre le fromage et la crème puis ajouter le zeste de citron. Y ajouter les jaunes d'œufs battus. Bien mélanger.

Monter les blancs en neige ferme puis les incorporer délicatement au mélange de fromage blanc.

Etaler la pâte dans un moule à tarte haut puis piquer à la fourchette le fond de tarte. Ajouter le mélange puis enfourner à four chaud pendant 40 minutes à 180°C.

Sortir la tarte du four puis disposer à chaud les fleurs de capucines. Déguster froid.

Astuce : Selon la saison, vous pouvez remplacer la fleur de capucine par une pensée, comme sur la photo.

L'alimentation, les activités des *victuaillers*, sont toujours bien représentées et leurs statuts figurent parmi les plus anciens que nous connaissions en Ile-de-France et en Languedoc. Les archives permettent de découvrir des marchands de grains (grainetiers, orgiers), de farine (fariniers, farniers), des courtiers de bovins (corratiers), des volaillers (poliers), des marchands de sel (sauniers), bouchers (mazeliers), des gens souvent aisés, des boulangers (pestres, pancossiers, fouassiers), des cuisiniers-rôtisseurs, des accommodeurs de chairs cuites (charcutier), des pâtissiers, des poissonniers et des poissonnières, des tripières, des marchands de vin et des taverniers, des épiciers ou des poivriers (des pebriers sobeyrans), des bluteurs de blé (barutelayres ou baruteladors) etc. Jean-Pierre Leguay, *Vivre en ville au Moyen Âge*, éditions Jean-Paul Gisserot.

Tarte aux pommes et à la cardamome

Cuisson : 35/40 min – Repos : 24 h - Difficulté : facile.

Pour 8 personnes :
500 g de farine
1 œuf
180 g de beurre
10 g sel et eau
500g de pommes acidulées
1 oignon rouge
1 cuillère à soupe de vin blanc
80 g de sucre
10 g de sucre glace
1 cuillère à café de poudre de cardamome
1/2 cuillère à café de poudre de noix de muscade
1 pointe de couteau de poudre de clou de girofle
1 pincée de poudre de safran
1 pincée de sel

Faire la pâte brisée. Mélanger dans une jatte 500 g de farine, 1 œuf, 180 g de beurre, 10 g sel et eau puis ajouter l'eau malaxer du bout des doigts jusqu'à obtenir une pâte friable et homogène. Et laisser reposer une journée au frais

Emincer l'oignon puis le faire suer au beurre et déglacer au vin. Peler et couper les pommes en morceaux. Mélanger le tout.

Incorporer le sucre mélangé aux épices (cardamome, noix de muscade, clou de girofle pilé).

Garnir la tarte. Puis cuire 35 à 40 minutes à four chaud (TH 7 - 200 °C).

Sortir du four et parsemer du mélange sucre glace-safran tant que la tarte et encore chaude. Laisser refroidir et déguster.

« Le cardamome a pour qualités de fortifier le corps, de détruire les ventosités et les grosses et mauvaises humeurs qui affaiblissent l'estomac. Il renforce la vertu qui cuit la viande. Prenez du cardamome et de l'anis et réduisez-les en une poudre, que vous utiliserez pour ouvrir l'appétit. Pour arrêter les vomissements, prenez de la poudre de cardamome, de menthe et de persil et faites-en une sauce avec du vinaigre : cette sauce redonne de l'appétit. Sentir simplement du cardamome est utile à ceux qui sont faibles d'estomac. » Aldebrandin de Sienne, *Le régime du Corps*, 1256, in Bruno Laurioux, *Le Moyen-Âge à table*, éditions Adam Biro.

Crêpes au sarrasin et crème d'amandes

Préparation : 15 min - Repos : 3 h.
Cuisson : 5/7 min - Difficulté : facile.

Pour 6 personnes :
Crêpes :
250 g de farine de sarrasin (ou blé noir)
50 g de farine blanche
1/4 l de lait
3 œufs
5 cl de bière
1 cuillère à soupe d'huile
Sucre pour la garniture
1 cuillère à café de sel
Beurre
Crème d'amandes :
35 cl de lait
100 g de fromage blanc
50 g de sucre
2 feuilles de gélatine
250 g d'amandes émondées

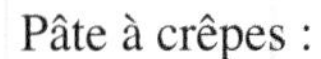

Pâte à crêpes :

Verser la farine tamisée dans un récipient, puis ajouter les œufs battus, le sucre, le sel, l'huile et le lait. Remuer jusqu'à obtention d'une pâte homogène. Couvrir d'un linge et laisser reposer de 1 à 3 heures.

Pendant ce temps préparer la crème d'amandes :

Faire tout d'abord le lait d'amande : prendre des amandes en poudre (mondées), ajouter du lait ou de l'eau, bien mélanger, laisser infuser 1 heure. Passer à l'étamine en pressant bien : vous obtenez un liquide blanc.

Faire tremper les feuilles de gélatine dans de l'eau froide, puis les faire fondre dans un peu de lait d'amandes chaud.

Mélanger le fromage blanc, le sucre et la gélatine avec le lait d'amande. Réserver au frigo mini 2 h.

Avant de faire les crêpes, mettre la bière dans la pâte. Beurrer la poêle à l'aide d'un pinceau, ou huiler à l'aide d'un chiffon, et faire dorer les crêpes en les faisant sauter pour les retourner.

Les saupoudrer de sucre au fur et à mesure de leur cuisson.

Puis, y incorporer la crème d'amandes, le reste d'amande pour la déco, et les rouler sur un plat.

Servir tiède.

« Autour des maisons, les jardins. Puis les zones cultivées, dont une partie est en jachère par rotation (...). Après les semailles faites à la main, on herse le champ. La coupe du grain mûr se fait à la faux ou à la faucille. Les champs sont ensemencés de céréales (toutes dites « blés » au Moyen-Âge). Parmi les céréales planifiables, le froment, l'épautre, le seigle. L'orge sert pour faire le malt qui permettra de fabriquer de la bière, l'avoine sert à l'alimentation des chevaux. »
Denise Péricard-Méa, *Le Moyen Âge*, éditions JeanPaul Gisserot.

Déchargeurs de blé.

Douillon aux pommes et au poivre du paradis

Cuisson : 45 min – Difficulté : moyen.

Pour 8 personnes :
Pâte feuilletée
6 grosses pommes
150 g de beurre
25 g d'amandes hachées
25 g de pistaches hachées
5 g de cannelle en poudre
2 g de poivre maniguette dit poivre du paradis
50 g de cassonnade
1 jaune d'œuf

Confectionner la pâte feuilletée ou l'acheter toute prête auprès de vôtre boulanger.

Mélanger les pistaches hachées, les amandes hachées, la cassonnade. Réserver.

Eplucher les pommes et en retirer le cœur, sans les couper en 2, à l'aide d'un vide-pommes.

Etaler la pâte sur une épaisseur de 5 mm. Couper en carrés de 15 cm x 15 cm.

Poser une pomme sur chaque carré de pâte, répartisser le mélange de fruits secs hachés au centre, ajouter une noix de beurre et la cannelle en poudre.

Envelopper les pommes en soudant bien la pâte pour l'étanchéité. Couper l'excédent avec des ciseaux.

Dorer entièrement chaque douillon puis mettre à cuire à 180° C pendant 40 minutes environ.

Au moment de servir, parsemer de poivre grossièrement moulu.

Servir tiède accompagné d'une mousse au chocolat blanc ou d'une glace au yaourt.

Astuces :

Pour la déco, utiliser les chutes de pâte pour en faire des feuilles ou des formes puis les placer sur le sommet de chaque pomme en les soudant au jaune d'œuf.

Le poivre du paradis est la graine du fruit de l'Aframomum melegueta, arbre de l'Afrique de l'Ouest. On l'appelle aussi « poivre de Guinée », « malaguette » ou « maniguette ». Son nom est issu de son emplacement portuaire car il partait des côtes de Malaguette, située à l'emplacement du Libéria et de la Sierra Léone actuels.

Durant le moyen âge, lorsque le poivre devenait trop cher, il était le substitut idéal. Sa saveur piquante, épicée et aromatique, permettait de l'utiliser pour assaisonner les plats dans lesquels on mettait habituellement du poivre noir. Il est aussi utilisé dans la composition de certaine bière.

Mousse de chocolat blanc au safran

Préparation : 15 min - Repos : 6 h
Difficulté : facile.

Pour 4 personnes :
200 g de chocolat blanc
4 œufs
2 stigmates de safran
10 cl de crème fleurette
1 cuillère à soupe de mascarpone

Casser les œufs en séparant les blancs des jaunes.

Casser le chocolat blanc en petits morceaux, puis le faire fondre, à feu doux, dans 10 cl de crème fleurette. Ajouter le mascarpone et le safran, bien mélanger.

Dès que le mélange de crème et de chocolat blanc est refroidi, incorporer les jaunes d'œufs.

Monter les blancs en neige avec 1 pincée de sel. Bien les serrer. Incorporer délicatement avec une spatule la préparation au chocolat blanc tout en aérant afin de ne pas casser les blancs.

Répartir dans des petits bols. Faire reposer 6 h au réfrigérateur.

Au moment de servir, vous pouvez saupoudrer légèrement avec du cacao ou des miettes de pains d'épices.

Isabeau de Bavière, épouse de Charles VI.

« Par l'âme de mon très honoré père et seigneur ! dit le roi*, qui reprenait des forces et de la gaieté, depuis une année et davantage, je n'avais fait si bonne chère ! Valentine, ma fille bien aimée, j'aurai maintenant meilleur courage à larmoyer et gémir, avec toi, après ce copieux festin. Je te prie de me donner ainsi mon pain quotidien, et je te remercierai bientôt de ma guérison... Tu ne réponds, mais j'entends ce que tu veux dire : c'est que la méchante bête, madame Isabeau, s'oppose à ce que je retourne à la santé et à la raison ? »

Paul Lacroix, « L'emprise », *Contes du Moyen Âge*, éditions Jean-Paul Gisserot.

* Charles VI.

Soupe froide de fraise à la sarriette et aux dés de granny-smith

Cuisson : 5 min - Repos : 24 h.
Difficulté : facile.

Pour 4 personnes :
250 g de fraises bien mûres
1 pomme verte
1 verre de vin rouge de Bergerac
1 cuillère à soupe de jus de citron
1 cuillère à soupe de sarriette
1/2 cuillère à soupe de lavande

Laver, équeuter, et sécher les fraises.

Chauffer le vin rouge, ajouter le jus de citron et laisser réduire le jus d'un tiers de son volume.

Verser le vin chaud sur les fraises.

Laisser pocher les fruits cinq minutes, retirer les fraises à l'aide d'un écumoire.

Mixer les fraises avec la sarriette et la lavande.

Mettre le tout avec le vin et laisser reposer dans le réfrigérateur 24 heures au minimum.

Le jour du service, laver et couper en petits dés la pomme puis la passer rapidement dans un jus de citron afin qu'elle ne noircisse pas.

Disposer votre soupe dans une tasse et déposer vos pommes. Parsemer d'un peu de sarriette.

Servir tout de suite.

Le Louvre de Charles V.

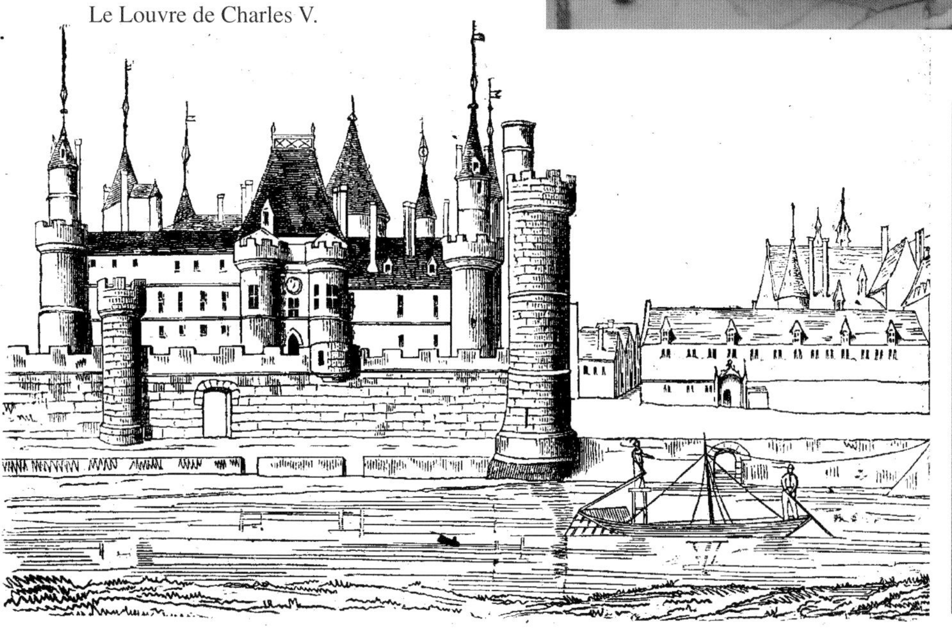

Les fruits que l'on consomme aujourd'hui dérivent des fraises sauvages et ont été obtenus à la suite de divers croisements. En France, on raconte que Charles V en avait fait planter 1200 pieds dans les jardins du Louvre mais la culture n'a vraiment progressé que beaucoup plus tard. » Jacques Dubourg, *Histoire des fruits et légumes*, éditions Jean-Paul Gisserot.

Table des recettes

Imprimé et façonné par Pollina Luçon 85 n° d'impression : L65517
Imprimé en France